尊重生命　亲近自然

法布尔昆虫记（3）

地下毒王——狼蛛

天才建筑师——圆网蛛

北京科学技术出版社

『위대한 건축가 호랑거미』by Susanna Ko (author) & Sung-young Kim (illustrator)
Copyright© 2002 Bluebird Child Co
Translation rights arranged by Bluebird Child Co.through Shinwon Agency Co.in Korea
Simplified Chinese edition copyright © 2005 by Beijing Science and Technology Press

著作权合同登记号
图字：01-2005-3600

图书在版编目（CIP）数据

地下毒王/天才建筑师/（韩）高苏珊娜编著；（韩）金成荣绘；李明淑译.
—北京：北京科学技术出版社，2009.10 重印
（法布尔昆虫记系列丛书）
ISBN 978－7－5304－3166－5

Ⅰ．地...　Ⅱ．①高...②金...③李...　Ⅲ．昆虫-少年读物　Ⅳ．Q96－49

中国版本图书馆 CIP 数据核字（2005）第 053826 号

地下毒王/天才建筑师——法布尔昆虫记（3）

作　　者：高苏珊娜
责任编辑：白　林
责任校对：黄立辉
封面设计：鹿鼎原
图文制作：邱晓萍
出 版 人：张敬德
出版发行：北京科学技术出版社
社　　址：北京市西直门南大街 16 号
邮政编码：100035
电话传真：0086－10－66161951（总编室）
　　　　　0086－10－66113227（发行部）　　0086－10－66161952（发行部传真）
电子邮箱：bjkjpress@163.com
网　　址：www.bkjpress.com
经　　销：新华书店
印　　刷：保定华升印刷有限公司
开　　本：787mm×1092mm　1/16
字　　数：22 千
印　　张：7.5
版　　次：2006 年 1 月第 1 版
印　　次：2009 年 10 月第 7 次印刷
ISBN 978－7－5304－3166－5/G·398

定　　价：19.80 元

序

中国科学院院士　张广学

　　法布尔先生是一位热爱自然的伟大科学家，也是一位优秀的文学家。19世纪末，杰出的法布尔先生捧出了一部《昆虫记》，世界响起了一片赞叹之声，并且这片赞叹声响彻了100多年，直到今天！

　　法布尔先生写的《昆虫记》非常朴素和优美，他把一部严肃的学术著作写成了优美的散文，让人们不仅能从中获得知识和思想，更能获得一种美的享受，并由衷地产生对大自然深深的热爱！

　　作为一位科学家，一位用心去观察、用爱去体会的科学家，法布尔先生的科学研究是充满诗意的，他从不把昆虫开膛破肚，而是充满爱心地在田野里观察它们，跟它们亲密无间。他用诗人的语言，描绘这些鲜活的生命，昆虫在他的笔下是生动、美丽、聪明、勇敢的，他说他在"探究生命"，要"使人们喜欢它们"。他的心思如同一个孩童般纯真，而他的文笔也像孩童般充满想像力和感染力。他要让厌恶这些小东西的人们知道，微不足道的小小虫儿有着许多神奇的本领，它们勇于接受大自然的考验，要在这个世界上争得生存的空间。

　　北京科学技术出版社出版的这套改编的儿童版《法布尔昆虫记》，让小朋友们换了一个方式来阅读这部科学经典。这套书用简洁的语言、可爱的彩图、活泼的故事情节描绘了法布尔原著中具有代表性的昆虫，讲述它们的生活，展现它们的个性，处处流露出对它们的喜爱。我向小朋友们推荐这套图画本的《法布尔昆虫记》，正是因为它的语言非常简洁优美，每种昆虫形象栩栩如生，十分可爱，小朋友们甚至可以透过文字看到它们的喜怒哀乐，故事情节兼具科学性和趣味性，能够激发小朋友们的阅读兴趣和对大自然的神秘好奇心，培养他们尊重生命、亲近自然、热爱科学探索的精神！

　　最后，希望北京科技出版社能够出版更多更好的儿童科普书，同时也祝愿我国的儿童科普事业蓬勃发展！

张广学

2005.8.26.

神秘的蜘蛛世界

大家是否知道蜘蛛不是昆虫呢?

昆虫的身体由头部、胸部、腹部共3部分组成,从胸部长出6条腿;但是,蜘蛛的身体由头胸部和腹部2部分组成,而且有8条腿,所以不能称作昆虫。

人们只是因为蜘蛛丑陋的外表,而不喜欢它们。蜘蛛不但不会危害人类,反而还会吃掉苍蝇、蚊子之类的害虫,所以它们是人类的好朋友。

本书将介绍毒蜘蛛家族里的"狼蛛",以及擅长编织的"圆网蛛"。经常被人类忽视的蜘蛛,其实具有超凡的能力。狼蛛是宁愿牺牲自己,也要舍命保护卵囊的伟大母亲;而圆网蛛会编织连人类都无法模仿的蜘蛛网房子。

渺小而恶心的蜘蛛们到底具有什么样的神秘能力呢?让我们和法布尔先生一起去探索吧!

目录

地下毒王——狼蛛

在距离法布尔先生家不远的空地上，
住着许多被称为"狼蛛"的毒蜘蛛。
法布尔先生仔细观察了那些蜘蛛的洞穴、
捕猎的方法以及处死猎物的手法等。
法布尔先生打算通过实验测试狼蛛的毒液到底有多可怕。
首先成为实验对象的是蝗虫和蝈蝈儿，
当然，它们被狼蛛咬到后很快就死掉了。
"嗯，再找一些大一点儿的动物来看一看。"
刚好，法布尔的女儿们养了一只小麻雀，
法布尔让毒蜘蛛咬麻雀的腿，
最初两天麻雀还算健康，最终还是死掉了。
为此，家人都埋怨法布尔，
法布尔心里也很后悔，
但是，这仍阻止不了
法布尔先生的好奇心和研究欲望。

有一天，法布尔从农田里抓来了一只鼹鼠，
他让毒蜘蛛咬鼹鼠的鼻尖儿，
过了一天半，鼹鼠就死掉了。
因此，法布尔先生得出了这样的结论：
"毒蜘蛛的毒不仅对昆虫有杀伤作用，
对小动物也很危险，
但是，对人类这种大型动物究竟有多危险，
就不得而知了。"

像狼一样可怕的毒蜘蛛

"大家好，现在我们正式召开
'世界蜘蛛联合会'！
首先，我来宣布联合会的纪律：
如果有谁在这里打架斗殴或者吃掉同胞，
联合会将永远剥夺其会员资格。"
蜘蛛中最魁梧的食鸟蜘蛛走到前面，
向大家宣布会议开始，
台下的蜘蛛们便一一宣泄内心的不满。
"人类真的非常讨厌我们，
只是因为我们长得不好看！"
蟹蛛们忿忿不平地说。
"人类本来就喜欢以貌取人，
所以也别太往心里去。"
蜘蛛们连忙安慰着蟹蛛说。
"也有很多人担心我们有毒，
比较害怕我们。
事实上，在我们蜘蛛当中，
真正对人类有很大危害的毒蜘蛛
只有千分之一啊！"

"对呀！可是人们一看到蜘蛛网，
就觉得很脏，而且会马上清除掉它，
可他们不知道我们会帮他们捕捉蚊子
或者苍蝇之类的害虫。"
虽然太阳早已下山了，
蜘蛛们的埋怨声仍然此起彼伏。

有些蜘蛛还说着有关蜘蛛的谚语，
显出一副很神气的样子；
还有一些和人类同住的宠物蜘蛛，
炫耀着自己备受宠爱的生活。

小蜘蛛们则追问大人，
自己为什么不是昆虫。
也许是因为好久没有见面，
大家一直聊到深夜，
没有一点睡意。

世界上的各种蜘蛛，
都聚在这里了。
五颜六色的圆网蛛，
身穿新娘白纱的白蜘蛛，
黄颜色的三角蟹蛛，
捕苍蝇的大陆蝇虎蜘蛛，
专吃蜜蜂的蟹蛛，
住在水里的水蜘蛛，
住在家里的幽灵蜘蛛，
长得像鸟粪的鸟粪蜘蛛。

长得像树叶的嫩叶蜘蛛，
长得像虎头蜂的跳跳蜘蛛，
长得像蚂蚁的大蚁蛛，
擅长装死的皇冠涡蛛，
身上带刺的古氏刺蛛。

我们的名字和长相虽然各不相同，
但我们都是蜘蛛，神气的蜘蛛！

"哎，真是无聊死了，
都只顾着说自己的话，
我看我还是先回去吧！"
其中有一只蜘蛛早早离开了会场，
她就是毒蜘蛛"波波"。
波波还有一个名字叫"狼蛛"，
因为她在攻击猎物时，
会像狼一样迅速而敏捷。
波波的下腹部呈黑色，
腿上有灰色和白色的斑点。
"看来，我得先挖个洞安身，
因为我现在实在是太胖了，
已经不能敏捷地捕捉猎物了。"
当小狼蛛还没有自己的洞穴时，
通常是在地面上爬来爬去，
一旦发现猎物，
就迅速扑上去，将猎物捕杀。

但是，波波已经长大了，
肚子变得又圆又大，
她再也不能像小时候那样矫健了，
所以，只好挖一个小洞，
躲在里面，等待猎物自己送上门来。
像波波这类的毒蜘蛛并不会结网捕猎，
而是在地上挖一个洞穴生活。
除了狼蛛之外，地蜘蛛和狸蜘蛛类
也会住在地下的小洞里。

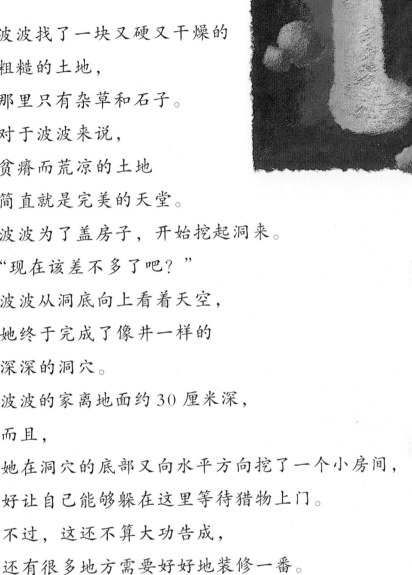

波波找了一块又硬又干燥的
粗糙的土地，
那里只有杂草和石子。
对于波波来说，
贫瘠而荒凉的土地
简直就是完美的天堂。
波波为了盖房子，开始挖起洞来。
"现在该差不多了吧？"
波波从洞底向上看着天空，
她终于完成了像井一样的
深深的洞穴。
波波的家离地面约 30 厘米深，
而且，
她在洞穴的底部又向水平方向挖了一个小房间，
好让自己能够躲在这里等待猎物上门。
不过，这还不算大功告成，
还有很多地方需要好好地装修一番。

波波首先在洞穴的入口处
筑起一面圆形的防护墙，
她用腹部抽出来的蜘蛛丝，
编织沙土、稻草和树叶，
立在入口周围，做好伪装；
然后，她开始将蜘蛛丝抹在
入口处及洞穴的墙壁上，
这样除了可以防止
墙壁上的泥土掉落，
也能在猎物出现时
沿着蜘蛛丝迅速地爬出洞穴，
就像人类踩着梯子往上爬一样。

"哎，好饿呀！真希望马上就有猎物上钩。"
波波非常有忍耐力，
在猎物没出现之前，
即使是几天几夜不吃东西，
也会安然无恙。
等了好几天，终于有一只木蜂
出现在波波的洞口附近。
"嗡嗡"作响的木蜂，看到了一个洞穴，
便好奇地探头向洞里张望。

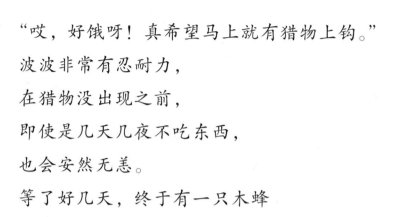

"这里怎么会有个小洞呢？
难道是幼虫挖的吗？"
木蜂偷偷地爬进了洞口。
"好，是个大家伙，
我得一口拿下。"
但是，波波决不轻举妄动，
"那家伙还带着可怕的毒针呢。
别急，等待时机成熟再偷袭也不迟。"
波波躲在洞穴的拐弯处，
一面心里暗暗盘算着，
一面静静地盯着木蜂的一举一动。

眼看时机成熟了，

波波突然飞快地爬到洞口，

一口咬在了木蜂的脖子上。

"啊！哎呀！"

木蜂还没有来得及使用自己的毒针，

就一命呜呼了。

木蜂的脖子上有一根连接胸部的重要神经，

波波的这一口直接咬断了那根神经。

"哈哈！我仍然是一个

可怕的、敏捷的猎手啊！"

波波赶紧将死掉的木蜂拖进洞穴里。

如果波波咬住的不是木蜂的颈部，

而是腹部或者胸部的话，

情况又会怎么样呢？

想必脾气倔强的木蜂会在洞内，

"嗡嗡"地乱飞，不停地挣扎，

这时波波根本无法阻止他，

最后，木蜂一定会用毒针蜇波波，

波波也会因此而死掉的。

不能一举成功，就会丢掉性命，

真是一场惊心动魄的捕猎呀！

从那以后，波波用同样的方法捕获了许多猎物，
凡是来到洞穴的家伙一个也不漏掉。
因此，森林里开始出现关于波波的传言，
"听说在这个森林旁的沙地里，
住着一只可怕的毒蜘蛛！"
"被她咬上一口，就连挣扎的机会都没有！"
森林里的昆虫们，听到有关毒蜘蛛的传闻，
个个都吓得浑身发抖。

过了几天，有一只小田鼠

刚好经过波波的洞穴附近，

"嗯？这是什么？里面有什么呀？"

好奇的小田鼠

把自己的鼻子探进波波的洞穴，

"吁吁"地闻着洞里的味道，

还不停地用鼻尖儿试探着。

波波立刻发现了他：

"嗯！这家伙是谁呀？

看起来不像我的猎物啊！

竟敢入侵我的洞穴，

决不能轻饶了他。"

波波飞快地爬上洞口，

用力地咬了一下小田鼠的鼻子，

"哎呀！好痛啊！"

小田鼠不停地揉着鼻子，

边哭边跑回了家。

尽管小田鼠的妈妈细心地照顾着小田鼠，
但是，第二天的晚上他还是不幸地离开了世间。
从那以后，森林里的小动物们
更加害怕波波了。
虽然有的小动物不太服气，
"哼！不过是个一口就能吞进去的小家伙罢了！"
"但是，万一倒霉的话，就会像小田鼠一样了。"
波波的恶名越传越远。

当妈妈真不容易

森林里的天气渐渐变冷了，
波波的肚子就像围上了一条黑缎子，
又光亮又帅气。
波波躲在洞里，偷看着洞外的动静。
她那两只大眼睛和四只小眼睛，
像宝石般闪闪发光，
不过，因为洞里太暗了，
无法看清楚波波的另一双大眼睛。

波波现在正在寻找适合自己的新郎，
可是，为什么她的表情像狩猎似的，
紧紧地盯着洞外呢？
这是因为，与母蜘蛛交配后的公蜘蛛，
如果不能迅速逃跑的话，
立即会变成母蜘蛛的食物。
波波终于找到了一只公蜘蛛，
与他进行了交配，
然后，就将这只比自己小很多的公蜘蛛给吃掉了，
"嗯，为了即将出生的小宝宝，
爸爸牺牲自己也是应该的！"
波波的笑脸显得特别狰狞。

马上就要产卵了，
波波开始在沙土上面编织蜘蛛网，
然后，在网上面制作
像硬币般大小的垫子一样的东西。
不过，波波并没有移动身体，
只是将腹部吐丝的地方上下摆动，
使蜘蛛丝不停地交织着，
就像人类织布的样子。
圆形的垫子周边有较多的蜘蛛丝，
而中间有一些凹陷下去。
"啊，终于准备好了，
现在可以产卵了。"
波波走到圆形的垫子中间，
产下了一堆黏糊糊的黄色的卵块儿，
然后，继续摆动着腹部，
用吐出来的蜘蛛丝，
罩住了卵和整个垫子。

最后，她将绑在圆垫子上的蜘蛛丝
用腿一一扯断，
再用牙齿咬住垫子，卷起四周，将卵包上，
就像人类包饺子时，
把肉馅儿放在饺子皮上，
再将皮边儿卷起来，包上饺子一样。
波波很快将自己的卵包成了
又干净又漂亮的白色小丝球。

用蜘蛛丝做成的小丝球，有樱桃般大小，
把住在里边的小宝宝们牢牢保护起来。
"哎呀，真累呀！
制作卵囊真是累人呐，今天得好好休息了。"
波波抱着圆圆的卵囊，进入了梦乡。

第二天早晨，波波将卵囊粘在了
自己的腹部末端上。
"不管今后发生什么事情，
我都不会把卵囊拿下来，
就算性命遭受威胁也决不放弃。"
波波就这样带着卵囊到处爬来爬去。
不只是波波，其他的毒蜘蛛也像波波那样，
在小蜘蛛孵化以前，
绝对不会把卵囊从身上拿下来。
如果给波波一个其他蜘蛛的卵囊，
或者和卵囊相似的球体的话，
情况会怎么样呢？
毒蜘蛛只会认真地带着卵囊，
但却不会分辨卵囊的真假，
她们只要带着一个球体，就放心了。
但是，狼蛛还是非常珍惜这个卵囊，
每当感觉危险而躲进洞内时，
都牢牢地将卵囊带在身边。

"今天天气真好啊！
我得让我的小宝宝们晒晒太阳。"
波波从洞底爬到入口处，
然后倒立着身体，
这样可以让身体的上半部分在洞内，
而屁股露在外面，
这就是让卵囊晒太阳的方法。
波波用后腿抱着白色的卵囊，
露出尾部，晒了好一会儿的太阳。

而且，为了让卵囊均匀地晒到太阳，
波波时常用后腿将卵囊轻轻转一转。
"哎呀！好累呀！
但是为了小宝宝们，
这一点苦算得了什么呢？"
波波整整半天没有休息，
一直举着卵囊晒太阳。
虽然她是个可怕的猎手，
但也有伟大的母爱。
再过三四周，就该到了孵化的时候了，
这些日子，波波一直精心地照顾着卵囊。

快到 1 个月的时候，

波波的卵囊开始裂开了。

"妈妈，您好！"

"妈妈，您好！"

小蜘蛛们一个接一个从卵囊里爬了出来。

"1、2、3、4、5……

哇！到底多少只呀？"

等到小蜘蛛们全部孵化出来以后，

波波将一直珍惜着的卵囊像垃圾一样扔出了洞穴。

小宝宝们一个个抓住波波的腿，爬上了她的背，

"你再往这边一点儿，给我让一下。"

"对！对！快爬到妈妈身上来吧！"

小蜘蛛们全都爬上了波波的后背，

密密麻麻的。

"喂！你怎么挡着妈妈的眼睛呢？

妈妈看不着路了！"

除了背部以外，

还有一些小蜘蛛爬上了屁股和前胸。

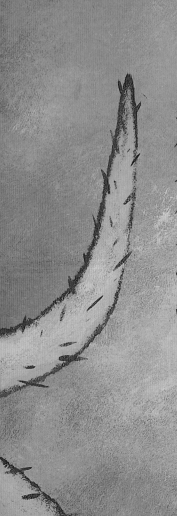

虽然居住的空间很狭小，
但是小蜘蛛们从来不会争吵，
也没有一只小蜘蛛抢占地方。
他们互相用手脚钩住对方，
亲密地抱在一起。
"孩子们，抓紧一点儿，
咱们该到洞外晒晒太阳了！"

波波一步一步向洞口爬去，
这时，她的身体碰到了洞穴的墙壁上，
忽然间，几十只小蜘蛛从波波的后背上
"哗啦啦"地摔了下来，
"赶快回到妈妈的背上去吧！"

"妈妈，等等我们！"
被摔在地上的小蜘蛛们
慌慌张张地爬回妈妈的后背，
并以惊人的速度找到自己的位置，
因为他们都把妈妈的腿当成了梯子。

有一天，波波带着孩子们在森林里散步时，
遇到了另一只迎面走过来的母狼蛛，
那只母狼蛛也背着许多小蜘蛛。
对于饿昏了头的狼蛛来说，
即使对方是自己的同胞，
也会把它当作猎物看待。

为了吃掉对方，
两只狼蛛开战了
只见波波一拳将另一只狼蛛打倒在地

波波用自己的肚子顶住
那只摔倒在地的狼蛛，
把脚并在一起，抱住了对方，
就像一个摔跤选手，
使对方一点也不能动弹。
"你认输吧！一旦被我的毒牙咬到，
你就完蛋了！"
"哼！我也有同样的毒牙，
难道你忘了吗？"
两只狼蛛都露出自己的毒牙，
威胁着对方。
这时，小蜘蛛们在做什么呢？
"妈妈，加油！"
"妈妈，加油！"
你可别以为他们在为自己的妈妈加油，
事实上对小蜘蛛来说，输赢并不重要，
只要是获胜的母狼蛛，都可以成为他们的妈妈。
最后，波波一口咬住了对方的头部，
结束了这场战争。
波波开始安心地吃起自己的战利品。

51

"啊！我们的妈妈死了，大家快点搬家吧！"
母狼蛛身上的小蜘蛛们纷纷爬上了波波的后背，
他们并没有因为妈妈的死亡而感到悲伤。
"好，你们快点上来吧！
毕竟你们是无辜的，我背你们走。"
波波非常仁厚地接受了对方的小蜘蛛，
波波的孩子们也不排斥新来的小朋友。
只见波波的后背变得比之前更拥挤了，
背上的小蜘蛛堆成了两三层，
甚至连波波的前胸、腰部以及头顶
都挤满了小蜘蛛。

虽然波波背着小蜘蛛四处打猎，
但她并没有给小蜘蛛们任何食物，
波波只是为自己补充体力。
那么，在妈妈背上的这7个月间，
小蜘蛛们到底靠什么维持生命呢？
令人惊讶的是，他们竟然什么都不吃。
虽然静静地趴在妈妈的背上
不会消耗太多的体力，
但毕竟7个月的时间并不短，
他们怎么能挺过来呢？

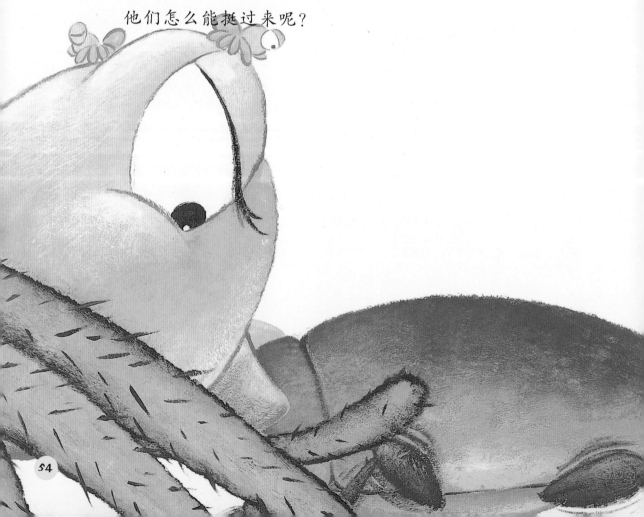

其实那是太阳的功劳，
狼蛛妈妈冒着生命危险
给小宝宝们晒太阳就是这个原因。
小蜘蛛们在妈妈的后背晒着太阳，
就可以获得必需的能量。
不知不觉中过了7个月，
"现在你们也该独立了。"
波波背着小蜘蛛们爬出了洞穴，来到了地面上，
洞外阳光明媚，微风徐徐。

"今天的天气很好，
你们离开妈妈后，
要好好照顾自己！"
波波对小蜘蛛们的离开
从来都是不管不顾，
她希望小宝宝们很快独立起来。
小蜘蛛们从波波的后背
一批一批地跳了下来，
赶紧爬到附近地势较高的地方。

如果旁边有较高的草，他们就爬到草的顶端，
如果周围有树，他们就爬到树的顶端。
狼蛛终生生活在地面上或地底的洞穴里，
只有刚刚离开妈妈的背
开始新生活的这一刻，
他们才会爬到高处去。

　　　　　小蜘蛛们从腹部的末端

　　　　　吐出几根蜘蛛丝，

　　　　　当蜘蛛丝被风吹走时，

小蜘蛛们将随风飘落到新的地方。
"妈妈，再见！"
"妈妈，希望你健康长寿！"
最后，所有的小蜘蛛们全都离开了波波。
"子女本来就是这样，
长大以后都要离开妈妈，
我小时候也是这样。"
波波就像什么事也没发生过，
回到了自己的洞穴里。

狼蛛的天敌

小蜘蛛们离开后，波波觉得身体轻松了许多，
打猎时动作也灵敏了。
由于这几个月来，波波一直背着小蜘蛛们，
所以，始终无法捕捉到足够的食物。
这时，刚好有一只蛛蜂向波波的洞口飞了过来。
蛛蜂看起来像穿着黄黑相间的条纹服装，
他的腿细长，翅膀也非常奇特，
末端呈黑色，其余部分像烤过一样，
发着土黄色的光。

躲在洞穴里的波波，偷偷地看了一眼洞口，
她发现了这只蛛蜂正好飞来，
便迅速地爬上了地面；
蛛蜂看到悄悄地向外张望的波波，
被吓了一跳，连忙向后退了好几步，
远远地望着狼蛛。
"既然来了，为什么又要逃跑呢？"
波波转身回到了洞穴里。
没想到那只蛛蜂又回到了洞口旁，
波波为了捕捉蛛蜂又飞快地爬到了洞口。

可是，蛛蜂再次逃得远远的，躲了起来，
"你这胆小鬼，竟敢耍我，
气死我了！"
波波发着脾气，又回到了洞穴。
"嗡！嗡！你快来抓我呀！
你不是可怕的猎手吗？"
蛛蜂嘲笑着波波，
在洞口周围飞来飞去。

"我非得把你抓到手，
正好我的肚子也有点饿了！"
波波迅速地冲到了洞口，
当波波挺起上半身向外看的那一瞬间，
蛛蜂闪电般地飞过来咬住了波波的前腿，
然后用力地向外拉。
不想被拖出洞口的波波，
全力向后挺着自己的身体，
两个人就像在拔河比赛一样。
但是，波波最终还是敌不过蛛蜂的蛮劲儿。

63

蛛蜂将波波拖出洞口，
扔到了离小洞很远的沙地上。
"哎呀！怎么办？
我没有藏身地方了。"
勇敢的猎手波波顿时变成了胆小鬼。
"来呀！我们来打一架吧，
看一看究竟谁是真正的猎手！"
将波波拉出洞穴的蛛蜂
得意洋洋地大声喊道。

狼蛛有一个致命的弱点是，

一旦被拖出洞穴

就会失去勇气，变成胆小鬼。

而蛛蜂非常清楚她的弱点，

所以，蛛蜂并不会进入狼蛛的洞穴里，

反而千方百计地引诱波波到洞外来。

可怜的波波并不知道蛛蜂是

专门对付蜘蛛的狩猎者。

"求求你，饶了我吧！"

波波全然忘记了自己还有毒牙，

竟吓得蜷缩在地上，浑身颤抖。

"如果我现在放了你，那我刚刚为什么

要冒着生命危险跟你玩捉迷藏啊？

万一不小心被你拖进洞里去的话，

不就变成了你的猎物了吗？"

蛛蜂在波波的胸前打了一针毒针，

波波顿时感到全身麻木，

不一会儿便失去了知觉。

"嘿哟！嘿哟！

这家伙可是小宝宝们的美味呀！"

波波平躺着，被拖进了蛛蜂的洞穴。

就这样，森林里恶名昭著的波波，

最终也成为了蛛蜂幼虫的大餐。

由此可见，这个世界上没有永远的强者，

也没有永远的弱者。

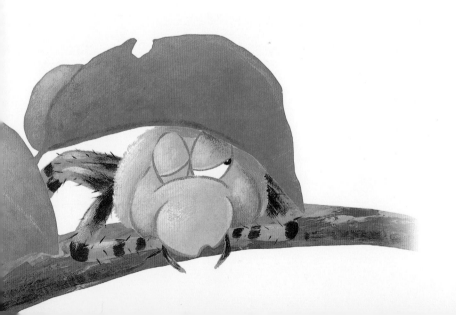

天才建筑师——圆网蛛

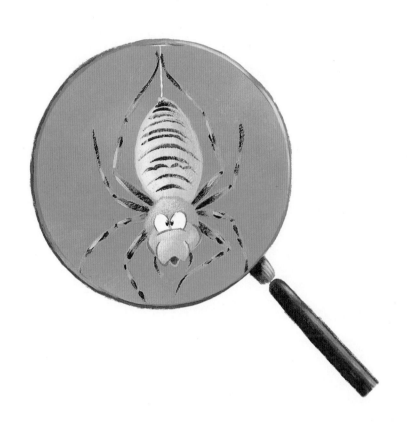

由于蜘蛛丝具有黏性，
所以，被挂在蜘蛛网上的小昆虫，
都被牢牢地粘在网上，无法逃脱。
但是，蜘蛛不会被自己的网粘住，
而且还可以在上面自由自在地爬来爬去，
这一点让法布尔非常困惑。

有一次，他突然想起了小时候
曾经和朋友们一起去抓小鸟的情景。
那时候，孩子们都拿着长长的竹竿，
在长竿的一端涂上黏胶，
为了防止手也被黏胶粘住，
孩子们事先会在手上抹上一层油。
法布尔觉得蜘蛛的腿上
也一定有这种防止被网粘住的油。
法布尔先生为了用实验来证明这一点，
只好从一只活蜘蛛的身上切下来一条腿，
放在蜘蛛网上试验，
的确是怎么也粘不上去。

接下来，法布尔把那条腿泡在有机碳酸里。
有机碳酸是一种用来溶解油脂的化学药品。
那只经过有机碳酸浸泡过的蜘蛛腿，
一放在蜘蛛网上，
立即被牢牢地粘住了。
这项试验证实了法布尔先生的猜想，
蜘蛛的腿上会分泌一种油性液体，
使蜘蛛在蛛网上能自由爬行，
而绝对不会被自己的网粘住。

随风旅行的圆网蛛

圆网蛛的育婴方法，
要比她的捕猎技巧高明许多！
她的卵囊就像一个梨一样挂在树枝上，
而且，由于卵囊是用蜘蛛丝制成的，
不但不容易破碎，
就连雨水也不会渗透进去。
卵囊里面还有一层褐色的软垫似的丝袋子，
那里面有很多漂亮的橙色卵，
"小好"就是一只即将从卵囊里孵化出来的小圆网蛛。

"哎呀！好闷啊！
真想马上到外面去！"
小好和其他500多粒卵一起住在卵囊里，
闷热的感觉持续了一个多月。

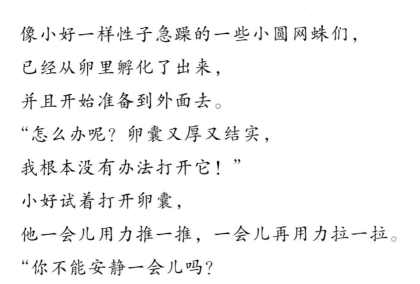

像小好一样性子急躁的一些小圆网蛛们，
已经从卵里孵化了出来，
并且开始准备到外面去。
"怎么办呢？卵囊又厚又结实，
我根本没有办法打开它！"
小好试着打开卵囊，
他一会儿用力推一推，一会儿再用力拉一拉。
"你不能安静一会儿吗？
你一直在乱动，害得里面越来越拥挤了！"

另一只比较稳重的小圆网蛛对小好说：
"你再耐心地等一等吧！
再过不久，这卵囊就会自然破裂的，
就像炮弹一样'砰'地炸开！"
"真的吗？你不也是刚刚孵化出来的吗？
你怎么知道的这么清楚，
如果真的爆炸了，那我们会不会被炸死呀？"
小好不敢相信那只小圆网蛛的话。
但是，卵囊确实不停地在膨胀，
就像一个充满气的气球一样。

几天后，卵囊真的"砰"地一声炸开了，
有一部分小圆网蛛被弹了出来，
剩下的则自己慢慢地从卵里爬了出来。

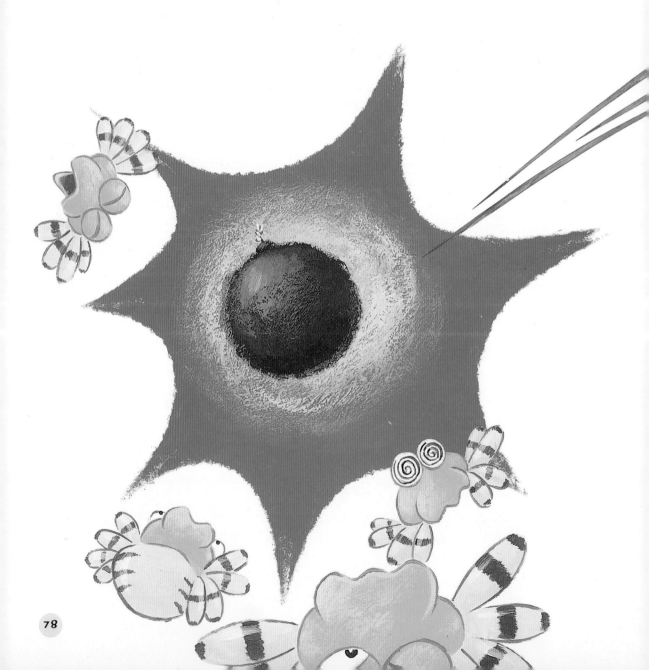

“哇！卵囊爆炸了！

大家快到外面去吧！”

小圆网蛛们争先恐后地往外爬，

大家迫不及待地想要见识见识外面的缤纷世界，

卵囊里顿时乱成一片。

“让我先出去！”

“不，让我先出去！”

“等一下，我们应该先蜕皮呀！”

小蜘蛛们在跑出卵囊之前，

必须在里面先蜕一层皮。

蜕完皮的小蜘蛛们，

迫不及待地成群结队跑到外面去了。

“好了，现在大家一起出发吧！”

刚刚从卵囊里出来的小蜘蛛们准备开始新的旅行，
他们先爬到附近的树枝上，
一边晒着太阳，一边等待飞行。
小好很快爬上了就近的树枝顶端，
然后，他不停地从肚子里吐出蜘蛛丝来，
只见蜘蛛丝在微风中轻轻地飘扬。
"我要去一个从来没有人去过的，
最遥远的地方！"
"我想到森林里的那个最美丽的小村庄去！"
大家都期待着自己能有一次难忘的旅行。

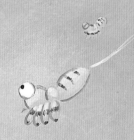

这时候，突然刮起了一阵风，
小好乘着蜘蛛丝，
随风飘飘然然飞到了空中。
"哇！好美呀！
我要去新的世界旅行了！"

只见空中飞扬着许多闪亮的细丝，
小蜘蛛们随风飘荡，
就像马戏团里的特技演员一样，
挂在一根线上，自由自在地在空中飞翔。

"哎呀！好晕啊！"
小好在空中转了好几圈后，
掉到了草丛里。

正当小好被摔得昏沉沉的时候，

有一只蚂蚁爬了过来，

"嗯，看样子你是刚刚开始旅行的小蜘蛛啊！"

"是啊，可是您是谁呢？"

"我是蚂蚁，

你要不要先到我家休息一下？

如果你一直呆在这里的话，

很快就会成为青蛙或者鸟类的猎物的！"

蚂蚁叔叔非常同情小好的处境，

便将小好带到自己的家中休息。

蚂蚁的家在地底下，

各式各样的房间像树根一样扎进地下，

小好感觉就像进了迷宫。

没多久，一位蚂蚁婶婶看见了小好，
立刻对蚂蚁叔叔大发雷霆：
"哎呀，这孩子不是蚂蚁！
他可是专门捕食各种昆虫的蜘蛛啊！
你怎么可以把他带到咱们家呢？"
蚂蚁叔叔赶紧解释说：
"你不要担心，
他只是刚刚从卵里孵化出来的小蜘蛛，
就让他在咱们家住几天吧？
你看小家伙多可怜啊！"
在蚂蚁叔叔的再三恳求下，
小好才得以暂时借住"蚂蚁之家"。

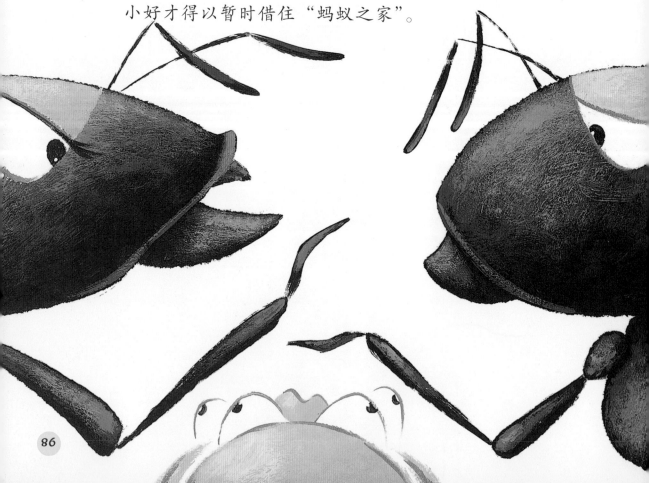

蚂蚁们整天不停地工作，
一会儿忙着挖洞盖新房，
一会儿又不断地搬来食物储存……
小好觉得又吵又闹，
根本没有办法静下心来休息。
他只在蚂蚁家呆了一天，
便离开了那里。

正当小好孤零零地走在草地上时，
突然听见了"嗡嗡"的声音。
"咦！这里有只可怜的小蜘蛛啊！
你到我家去休息一下吧！"
好心的蜜蜂阿姨把小好带到了自己的家。

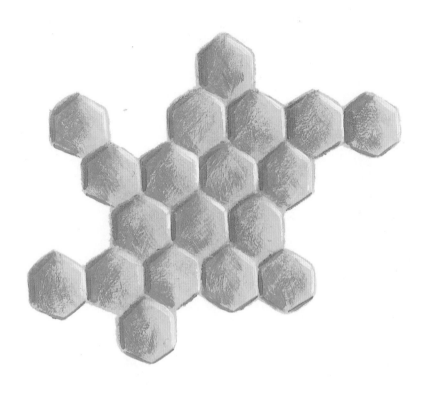

蜜蜂阿姨的家像一座宫殿，

有一个个六角形的小房间，

小好觉得这座金碧辉煌的宫殿非常美丽。

不过，在蜜蜂家小好也不能安静地休息，
蜜蜂们辛勤地忙里忙外，
一会儿采蜜回家，
一会儿又照顾蜂卵和幼虫。
小好觉得蜜蜂和蚂蚁的家一样吵闹，
而且这种封闭式的六角形房间又小又闷，
小好一点儿都不喜欢。
于是他向蜜蜂阿姨道别后，
独自离开了蜜蜂的家。

"我还是比较喜欢自己一个人住，
住那么大的房子有什么好处呢？
大家在一起，反而太乱了！"
小好决定盖一间属于自己的房子，
他先找了一棵树爬了上去。
"我是一只蜘蛛，
对我来说，蜘蛛网才是最适合我的家！"

世界上最舒服的地方

虽然我可以去不同的地方旅行，
但是世上没有比蜘蛛网更安静的地方了；
虽然我可以住在很豪华的地方，
但是世上再没有比蜘蛛网更舒服的地方了。

小好一边快乐地唱着歌，
一边不停地吐出丝来。
蜘蛛的尾部共有6个纺丝器，
每个纺丝器上都有几百个吐丝管，
蜘蛛丝就是从这些吐丝管中不断地喷出来的。
此外，蜘蛛的肚子里，
还有一种器官专门负责生产黏液，
这些黏液就是蜘蛛丝的原料。
当这些黏液通过吐丝管流出来后，
就变成了蜘蛛丝。
小好从尾部吐出几根长长的蜘蛛丝，
并让它们在空中飘扬。
"总会有一根飘到对面的树枝上吧！"
在风中飘扬的蜘蛛丝当中，
果然有一根粘到了对面的树枝上。
"好了，成功了，
现在可以到对面去了。"

小好沿着蜘蛛丝，
慢慢地爬到了对面的树枝上，
他一边爬一边吐丝结网。
只见他以中间那条蜘蛛丝为中心，
开始结起放射状的线；
每当小好结好一圈后，
都不会忘记拉紧蜘蛛丝，
好让每根蜘蛛丝都维持一定的间隔，
而且准确得就像是用尺子量过一样。
接着，他再用非常细的丝线，
从蛛网的中心出发，
一圈圈绕成螺旋状。
小好实在是太喜欢结蜘蛛网了，
他从来都不认为那是件苦差事。
最后，他又从外向里密密麻麻地织网，
只见他上下左右在蜘蛛丝之间跳跃，
结网的速度越来越快，
一会儿工夫，就完成了这项工程。

小好在结一个完整的蜘蛛网的过程中，
环绕每一根蜘蛛丝足足有50次。
"好了，终于要大功告成了！
现在可以把脚垫撤掉了，
它看起来既不美观又不实用。"
小好将最初用来支撑蜘蛛网的脚垫，
也就是网中央的放射状密集蜘蛛丝，
慢慢揭下来，卷成了圆球状，
开始美美地吃了起来。
"一切要从简节约，这些蜘蛛丝吸收后，
会提供丰富的养分或者会变成某种原料，
如果就这样扔掉的话，
实在是太可惜了。"
盖完蜘蛛房的小好
舒舒服服地躺在网中央打起了盹儿。

谁能和我相比，
盖出这么漂亮的房子？
谁能和我相比，
盖出这么坚固的房子？

先在树枝上做一个丝垫吧，
再拉紧放射状的丝线绕啊绕，
接着开始制作螺旋网吧，
最后再把网线织密一点吧！
任何昆虫也逃脱不掉我的蜘蛛网！

虽然我没有设计图，
也没有别的帮手，
但我是个天才建筑师。
一根蜘蛛丝，
就能织出完美的房子，
我是个优秀的艺术家。

今天阳光明媚，
也是结蜘蛛网的好天气。
在起雾或是下雨时，
蜘蛛们一般不会结网，
因为湿气太重，会影响蜘蛛丝的黏度。
结完网的小好很轻松，
他现在只要耐心地等待猎物就可以了。

致命的陷阱

小好躲在树叶后面，
耐心地等待着猎物送上门来。
不论等上几个小时或是几天，
蜘蛛们都会静静地守候着。
这时，有一只蜻蜓一边飞行，
一边炫耀着自己美丽的翅膀，
不小心被蜘蛛网粘住了，
可能是只顾着忘情地飞行，
蜻蜓根本没注意到又细又透明的蜘蛛丝。

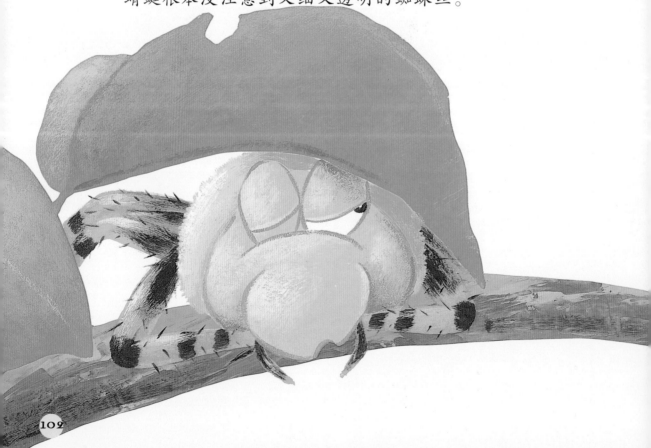

“糟了，我被蜘蛛网缠住了！
还好，蜘蛛没在，
我得赶紧想办法逃走！”
蜻蜓认为这细细的蜘蛛丝没什么了不起，
但是他却不知道蜘蛛网上有一层致命的黏液，
任凭蜻蜓怎么挣扎，
蜘蛛网仍然牢牢地粘在他的腿上。
蜻蜓试图用力挥动翅膀让自己飞起来，
可是蜘蛛网随着蜻蜓的动作不停地伸缩，
根本没有办法逃脱。

"这是怎么回事啊？
这蜘蛛网怎么像橡皮筋一样啊？"
正在这时，小好慢慢地爬了过来，
"你不要再挣扎了，那是没有用的，
一旦被我的蜘蛛网粘住了，
就休想活着出去！"
小好一步步逼近蜻蜓，
"你……你是从哪儿冒出来的？
你怎么知道我被粘在这里的？"
蜻蜓吓得浑身发抖。

"看来你也听说过我视力不太好的消息，

不过，我比你们都聪明，

我早就在蜘蛛网上连好了一根电话线。"

小好拉起一根牵在树枝上的长线给蜻蜓看。

"只要把这根长线连在树枝上，

然后握在手中，躲到树叶后面，

当像你这样的家伙被我的蜘蛛网粘住

为了逃脱而拼命挣扎时，

我就能感觉到震动，

就像电话线一样，

然后我就顺着这条线爬过来捕捉猎物，

怎么样？没想到吧？"

如果这根电话线被拉断的话，

蜘蛛们就无法得知有没有昆虫被蜘蛛网粘住。

而且，蜘蛛能清楚地分辨出

电话线是被风震动，

还是因为昆虫挣扎而晃动。

小好靠近蜻蜓后，

先用自己的尾部轻轻碰了一下蜻蜓，

这样是为了将自己吐出来的蜘蛛丝粘在蜻蜓身上。

然后他迅速地用丝线卷起了蜻蜓的身体，

不一会儿，蜻蜓就被蜘蛛丝绕成纺锤形状了。

"哎呀！这样我一点也不能动了！"

小好轻轻地咬住了蜻蜓的身体，

然后从蜻蜓的肚子开始吃了起来。

不过，小好并不是直接咀嚼蜻蜓的身体，

而是利用从口腔吐出来的消化液，

将食物溶解成肉汁后再吸食。

人类在吃食物时，
是从口腔或者消化道内分泌消化液，
并在肚子里消化食物。
但是，蜘蛛的情况不是这样，
他是先消化食物再吃进去。
当小好吃完了蜻蜓后，
便将最后的残渣吐了出来。

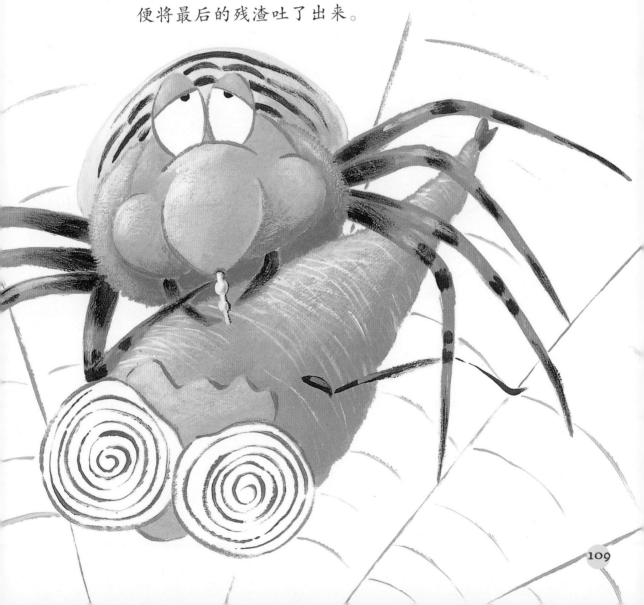

从那以后，又有蛾、苍蝇、蝴蝶、蚱蜢和金龟子等昆虫，

陆续被粘在小好的蜘蛛网上，

大家都成了小好的美味食品。

有一天，一只大虎头蜂被小好的蜘蛛网粘住了，

"哎呀，这不是身上有毒针的虎头蜂吗？"

小好不敢贸然接近虎头蜂。

"这是什么东西缠着我的腿？

蜘蛛，我警告你，

你胆敢靠过来，小心我的毒针！"

虽然已经被蜘蛛网粘住了，

但是虎头蜂还是虎视眈眈的，

不停地露出自己的毒针威胁小好。

"嗯，看来这家伙不简单！
如果正面攻击的话，
很有可能被他的毒针蜇到。"
小好小心翼翼地爬到虎头蜂的后面，
立即用后腿将纺丝器吐出来的蜘蛛丝扔了过去，
准备用丝网绕住猎物的身体。

因为不敢靠近猎物，
所以小好采用"撒网捕鱼"的办法。
小好看准虎头蜂挣扎的身体，
不停地用后腿扔过去一团一团的丝线，
顷刻间虎头蜂的翅膀和腿被蜘蛛丝牢牢地捆住了。
他走近虎头蜂狠狠地咬了一口，
然后马上退后几步，一直等他断气。
"哼，再凶狠的猎物我也照样有办法捉到手！"
小好确认虎头蜂已经完全死了后，
将他粘在了自己的尾巴上。
"这么大的猎物，
我得找个安静的地方，慢慢地享用！"
小好一边说，一边将虎头蜂拖到了网中间。
一般当蜘蛛捉到小昆虫时，
会当场将他们吃掉；
但是，如果是较大的昆虫，
因为进餐需要比较长的时间，
所以，必须把他们拖到最安全的地方慢慢享用。
这时候，天色已是傍晚，
晚霞染红了小好的蜘蛛网，
小好展开8条结实的腿，
一边享受着美味，一边感慨地说：
"世上没有一个地方，
能比自己的家更舒服了！"

穿越时空系列 （12本 全彩） 穿越时间长河的神秘之旅

《穿越时空》系列图书是英国ORPHEUS图书有限公司出版的英文系列图书的中文版。每一本书都讲述一个主题，如城堡、火山、恐龙、交通、金字塔等等。翻开每本书都像经历一次旅行，但这绝非普通的旅行，而是一次穿越时间长河的旅行。每翻过一页，时间就向前跳跃几天、几年、几个世纪，甚至数万年。每个时刻——也就是旅行中的每一站，都是相关主题的一个篇章。

★ **科学性** 每本书都以时间为主线，通过细致入微的手绘和通俗严谨的语言讲述各个主题的历史变迁。每一页都有标示时间的"拇指索引"，显示宏大场景的图中还有很多名词术语的标注。书后还附有名词解释和索引，方便小读者们检索和查询。

★ **趣味性** 《穿越时空》系列书不像通常意义的历史书或科普书那样单调乏味，设计者运用了很多细节来增强趣味性。主题单纯，容易让你专心探究；以时间为序，让你有穿越时空的探秘兴趣。每本书每幅画面上都有一个角色作线索，且角色与画面场景融合，这样一种藏宝图般的设计，能激发你的好奇心，带领你更进一步地深入探索。

★ **图画细致精美** 本系列的每一本书的画面都气势恢弘，场面宏大，很具观赏性，同时又相当细致，画中即使有几十个人物，也能做到个个栩栩如生，都有不同的动作和表情。很多建筑都进行局部切开，方便看到内部结构。这样的剖面图设计，可以培养你的审美能力和立体感。

★ **语言娓娓动听** 本系列均由英美文学专业硕士翻译，北师大英美文学博士导师审定，语言流畅，娓娓动听，与图画相得益彰，让你有穿越时空、身临其境之感。其中很多名词术语都经过译者和编辑仔细核实和反复推敲，保证了在科学性的基础上达到很高的文学性。

Youpi 小百科系列（10本 全彩）

"Youpi"是法语中小孩表示兴奋的惊叹词，相当于"哇，真棒！"Youpi小百科系列是法国最受欢迎的儿童百科读物。书中包含了丰富的动物、植物、自然、科技等内容，带领小读者观察世界，学习各种好玩而又实用的知识。每一本书都包含六个主题，通过拉页的方式，让小读者们惊喜地发现其中隐藏的有趣知识，也可以满足小朋友动手体验的渴望，激发探索事物的好奇心。

丰富有趣的内容，是探索科学的最佳读物

你知道长颈鹿的舌头是黑色的吗？抹香鲸能潜入海洋最深处，是最棒的潜水冠军呢！你注意到水有时能在空中跳跃吗？中世纪的骑士如何比武？未来的汽车是什么样子？Youpi系列用最简单、最有趣的方式，带领小读者了解世界的秘密。

独特的编排设计，激发探索的欲望

在每一本书中，醒目的主题图片都呈现在两个单页上，双手拉开这两个单页，就会惊喜的发现里面相连的四页中藏着丰富有趣的知识。

生动精采的图文，好玩有益的实验，让你手脑并用

每一个主题都搭配大量的图画，用写实的画法或者精致的照片，将每一个主题最重要的特点完整地表现出来。文字简洁幽默，让小读者轻松吸收相关信息。在每个主题的最后一页，以幽默可爱的漫画进行更详细的补充，用生活中的常见物品来讨论与主题相关的常识，非常容易理解；同时，也安排了简易有趣的小实验，让你可以动手操作，比如：怎样给鸟儿制作鸟巢，怎样让下沉的物体上浮等等。

好玩
实用

激发
探索